ISBN : 978-2-215-09728-0
© Groupe FLEURUS, 2009.
Dépôt légal à la date de parution.
Conforme à la loi n° 49-956 du 16 juillet 1949
sur les publications destinées à la jeunesse.
Imprimé en Italie. (02/09)

Zoé est gourmande

Conception :
Jacques Beaumont
Texte :
Fabienne Blanchut
Images :
Camille Dubois

GROUPE FLEURUS, 15-27 rue Moussorgski, 75018 PARIS
www.editionsfleurus.com

Gourmande, Zoé dévore tout
ce qui lui tombe sous la main.
Sucré, salé, elle ne sait pas s'arrêter.

Mais quand elle devient une Princesse Parfaite, Zoé n'est plus aussi gloutonne. Elle fait un peu attention et mange avec modération !

Dans le verger, Zoé a mangé beaucoup trop d'abricots. Papi a dû la gronder, car il n'en restait pas assez pour Mamy, qui voulait faire un clafoutis.

Mais parfois Zoé est une Princesse Parfaite ! Elle aide à la cueillette mais n'en savoure que quelques-uns, en prenant le temps de les apprécier vraiment.

En passant devant la crêperie, Zoé a fait la comédie. Elle voulait une crêpe à la confiture de mûres. Maman a refusé, car c'était tout juste après le déjeuner...

Mais parfois Zoé est une Princesse
Parfaite ! Comme elle se connaît,
pour éviter d'être tentée, elle tourne
la tête de l'autre côté.

Dans sa chambre, Zoé fait des réserves. Elle a caché un paquet de bonbons dans son tiroir à culottes. et elle en mange juste avant de se coucher Ouh là là ! Ce n'est pas bien, ça...

Mais parfois Zoé est une Princesse Parfaite !
Une fois ses dents brossées, pas question
de remanger, et puis le sucre pendant
la nuit, ça fait plein de caries !

Zoé a supplié Maman de lui acheter une glace avec trois boules : fraise, chocolat, pistache et chantilly. Évidemment, elle n'a pas fini !

Mais parfois
Zoé est une
Princesse
Parfaite !
Elle ne prend
qu'une seule
boule et fait
durer le
plaisir en
la léchant
lentement...

En pleine nuit, quand tout le monde était endormi, Zoé a pris dans le réfrigérateur une part de tarte à la noix de coco.

Mais parfois Zoé est une Princesse Parfaite !
Même si un morceau de gâteau lui
fait envie, elle s'efforce de ne plus
y penser et reste dans son lit.

Quand le lapin de Pâques est passé, Zoé a dévoré tous les œufs en chocolat en une seule fois, même ceux d'Adam, qui n'était pas content.

Mais parfois Zoé est une
Princesse Parfaite ! Elle n'en
mange que quelques-uns et
demande à Maman de
ranger les autres dans le
placard pour plus tard.

Sur le marché, Zoé veut tout goûter :
un bout de pain, du fromage,
une grappe de raisin, du jambon…
Miam, c'est trop bon !

Mais parfois Zoé est une Princesse Parfaite !
Si elle goûte un bout de saucisson, elle refuse
la tartine de rillettes d'oie...
« J'y goûterai la prochaine fois ! »

Alors qu'elle avait promis d'apporter
une pomme à Siméon l'ânon, Zoé
n'a pas pu s'empêcher de la croquer.
Elle ne lui a laissé que le trognon.

Mais parfois Zoé est une Princesse Parfaite !
Elle caresse le petit âne gris et lui donne
tout entière sa pomme d'api en lui
souhaitant un bon appétit !

Quand Zoé a fini
toutes les cerises du
panier, elle a eu
très mal au ventre.
Papa et Maman
ont dû faire venir
le médecin parce
qu'elle se tordait de
douleur. Depuis
cette indigestion,
Zoé a compris
la leçon ! Elle est
devenue une vraie
Princesse Parfaite.